CB036164

ESTE DIÁRIO PERTENCE A:

PARTICULAR E CONFIDENCIAL

Se encontrá-lo perdido, por favor devolva
para MIM em troca de uma RECOMPENSA!

(PROIBIDO BISBILHOTAR!! ☹)

TAMBÉM DE
Rachel Renée Russell

Diário de uma garota nada popular:
histórias de uma vida nem um pouco fabulosa

Diário de uma garota nada popular 2:
histórias de uma baladeira nem um pouco glamourosa

Diário de uma garota nada popular 3:
histórias de uma pop star nem um pouco talentosa

Diário de uma garota nada popular 3,5:
como escrever um diário nada popular

Diário de uma garota nada popular 4:
histórias de uma patinadora nem um pouco graciosa

Diário de uma garota nada popular 5:
histórias de uma sabichona nem um pouco esperta

Diário de uma garota nada popular 6:
histórias de uma destruidora de corações nem um pouco feliz

Rachel Renée Russell

DIÁRIO de uma garota nada popular

Tudo sobre mim!

Com Nikki Russell e Erin Russell

Tradução
Carolina Caires Coelho

10ª edição
Rio de Janeiro-RJ/São Paulo-SP, 2025

VERUS
EDITORA

TÍTULO ORIGINAL: Dork Diaries: OMG! All About Me Diary!
EDITORA: Raïssa Castro
COORDENADORA EDITORIAL: Ana Paula Gomes
COPIDESQUE: Anna Carolina G. de Souza
REVISÃO: Ana Paula Gomes
DIAGRAMAÇÃO: André S. Tavares da Silva
CAPA, PROJETO GRÁFICO E ILUSTRAÇÕES: Jeanine Henderson e Lisa Vega

ISBN 978-85-7686-335-9

VERUS EDITORA LTDA. Rua Argentina, 171, São Cristóvão, Rio de Janeiro/RJ, 20921-380 www.veruseditora.com.br

CIP-BRASIL. CATALOGAÇÃO NA FONTE
SINDICATO NACIONAL DOS EDITORES DE LIVROS, RJ

R925d

Russell, Rachel Renée

Diário de uma garota nada popular : tudo sobre mim! / Rachel Renée Russell ; [ilustração Lisa Vega , Jeanine Henderson] ; tradução Carolina Caires Coelho. – 10. ed. – Rio de Janeiro: Verus, 2025.

il. ; 21 cm

Tradução de: Dork Diaries: OMG! All About Me Diary!

ISBN 978-85-7686-335-9

1. Literatura infantojuvenil americana. I. Vega, Lisa. II. Henderson, Jeanine. III. Coelho, Carolina Caires. IV. Título.

14-13704 CDD: 028.5
CDU: 087.5

Revisado conforme o novo acordo ortográfico

Impressão e acabamento: Santa Marta

Dedicado a VOCÊ, minha amiga do coração ☺!
Com amor, Nikki Maxwell

INTRODUÇÃO

Amiga nada popular, pegue sua caneta!

Se você é fanática por diários como EU, vai amar MUITO *Tudo sobre mim*! Este livro contém 365 perguntas, além de uma pergunta-bônus (escrita por você), que vão fazer você pensar, rir e aprender coisas novas e surpreendentes a respeito de si mesma.

Você vai se divertir escrevendo as fofocas mais CABELUDAS, as histórias mais engraçadas e seus momentos mais embaraçosos. Também vou pedir que divida comigo seus sonhos, desejos e pensamentos secretos.

Você pode escrever em seu diário todos os dias por DOIS anos inteirinhos! E, ao ler essas lembranças, vai ficar impressionada ao se dar conta de como mudou, ou como ainda continua igual.

Eu mesma inventei essas perguntas. E, para deixar as coisas mais interessantes, decidi me abrir e respondi algumas delas. Mas, ei, eu não estou preocupada nem nada! Sei que posso confiar totalmente em você para guardar meus segredos ☺!

Você pode começar seu diário no dia 1º de janeiro ou na data de hoje. Se por acaso perder um dia, não esquente a cabeça! Você sempre pode voltar mais tarde e responder.

Divirta-se e seja feliz escrevendo! E lembre-se sempre de deixar seu lado Nada Popular brilhar!

Sua amiga muito tonta,

Nikki Maxwell

☺

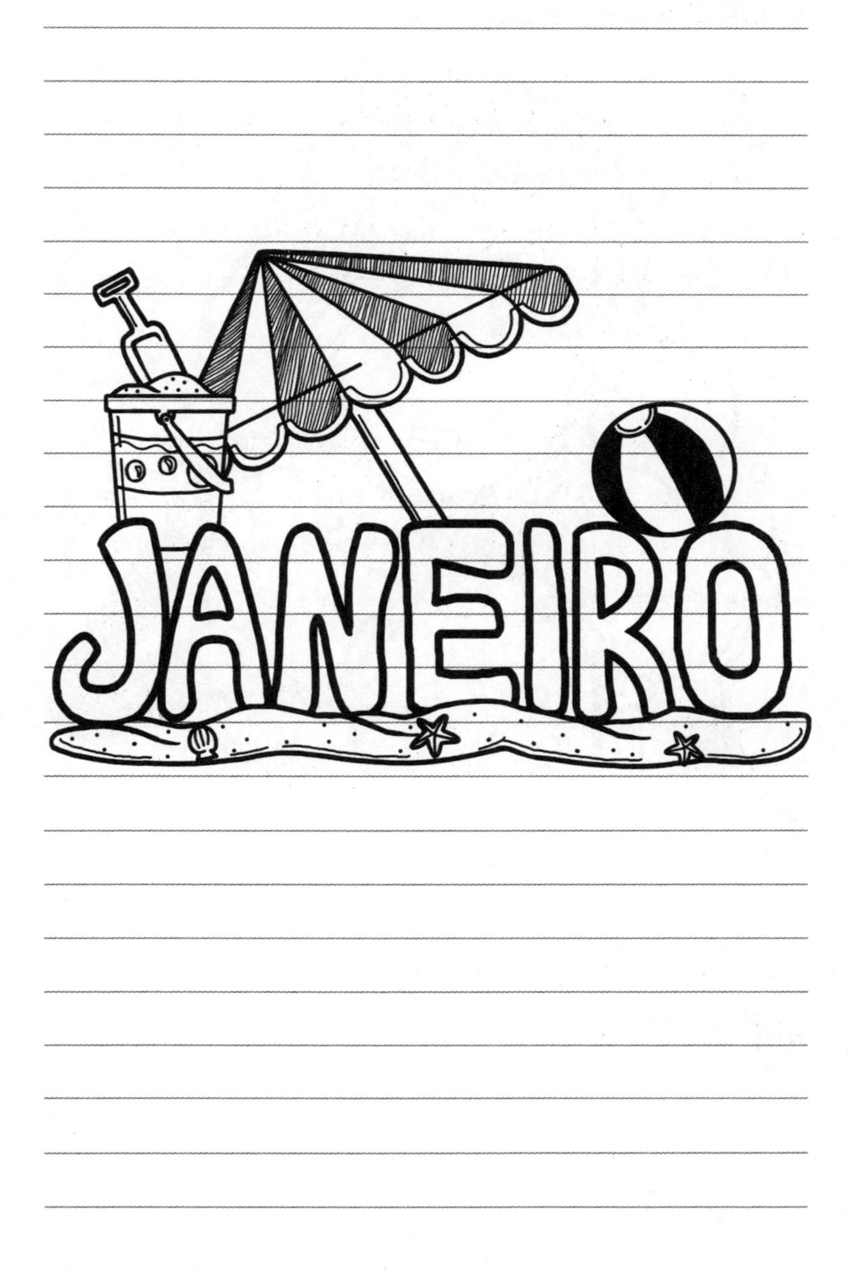
JANEIRO

1º DE JANEIRO: Por que VOCÊ deveria ser coroada PRINCESA nada popular?

ANO 1:

ANO 2:

2 DE JANEIRO: Qual é a sua resolução de Ano-Novo? Por que isso é importante? O que você pode fazer HOJE para ajudá-la a conseguir o que quer?

ANO 1:

ANO 2:

3 DE JANEIRO: "Espelho, espelho meu..." Se você pudesse perguntar qualquer coisa ao seu espelho MÁGICO e receber uma resposta muito verdadeira, O QUE perguntaria?

ANO 1:

ANO 2:

4 DE JANEIRO: Está quase trinta graus lá fora! Você prefere passar o dia brincando na PRAIA ou em um PARQUE AQUÁTICO?

ANO 1:

ANO 2:

5 DE JANEIRO: Que mensagem você gostaria de encontrar em um biscoito da sorte? Por quê?

ANO 1:

ANO 2:

6 DE JANEIRO: Escolha três músicas que você seria capaz de ouvir cem vezes seguidas sem nunca se cansar. Qual música NOVA você precisa acrescentar à sua *playlist*?

ANO 1:

ANO 2:

7 DE JANEIRO: Olhe no espelho e complete a frase:

"Meu(s)/minha(s) ______________ é/são UMA GRAÇA!"

ANO 1:

ANO 2:

8 DE JANEIRO: Se você pudesse ser qualquer outra pessoa do mundo por UMA SEMANA, quem seria e por quê?

ANO 1:

ANO 2:

9 DE JANEIRO: Alguém acabou de deixar um pacote ENORME na porta da sua casa com o SEU nome! O que você espera encontrar dentro?

RESPOSTA DA NIKKI: MATERIAIS DE ARTE ☺! ÊÊÊÊÊ!!

ANO 1:

ANO 2:

10 DE JANEIRO: Você já sentiu TANTA vergonha que quis cavar um buraco bem fundo, rastejar para dentro dele e MORRER? Detalhes, por favor!

EU →

ANO 1:

ANO 2:

11 DE JANEIRO: Você ficou em casa cuidando da Brianna! CREDO! O que pretende fazer para distraí-la?

ANO 1:

ANO 2:

12 DE JANEIRO: Você sente que é DOCE, AZEDA ou uma PIMENTINHA?

RESPOSTA DA NIKKI: Eu me sinto azeda. Principalmente porque preciso de um banho. URGENTE!

ANO 1:

ANO 2:

13 DE JANEIRO: A Chloe e a Zoey são as minhas MELHORES AMIGAS! Quem são as SUAS?

ANO 1:

ANO 2:

14 DE JANEIRO: Em qual programa de TV você está totalmente viciada agora, e qual odeia? Por quê?

ANO 1:

ANO 2:

15 DE JANEIRO: Eu sei que você vive dando uma espiada nos meus diários! Afinal, quem consegue resistir?! Qual deles é o seu favorito e por quê?

ANO 1:

ANO 2:

16 DE JANEIRO: Qual foi a última coreografia que você aprendeu? Como aprendeu?

ANO 1:

ANO 2:

17 DE JANEIRO: Qual é a roupa MAIS FABULOSA do seu guarda-roupa? Por que você gosta dela?

ANO 1:

ANO 2:

18 DE JANEIRO: Qual roupa é tão HORROROSA que você adoraria queimá-la? Por que a odeia?

RESPOSTA DA NIKKI: A fantasia de barata que meu pai me obrigou a usar para entregar cupons grátis de dedetização. Toda vez que a vejo, revivo aquele trauma!

ANO 1:

ANO 2:

19 DE JANEIRO: Escreva quais comidas te dão vontade de vomitar!!

ANO 1:

ANO 2:

20 DE JANEIRO: Liste as comidas que você AMA, AMA, AMA!

ANO 1:

ANO 2:

21 DE JANEIRO: Martin Luther King sonhava que um dia TODAS as pessoas fossem tratadas da mesma forma, independentemente da cor da pele. Que sonho VOCÊ tem para tornar o mundo um lugar melhor?

ANO 1:

ANO 2:

22 DE JANEIRO: Você acabou de ter um dia PÉSSIMO ☹! O que faz para RELAXAR?

ANO 1:

ANO 2:

23 DE JANEIRO: Quem é a pessoa MAIS MALUCA da sua família?

RESPOSTA DA NIKKI: Todo mundo na minha família é meio doido! Mas a Brianna e a vovó empatariam na disputa.

ANO 1:

ANO 2:

24 DE JANEIRO: Você vai dar a melhor festa de aniversário de todos os tempos! Quem seriam os seus doze convidados dos sonhos?

ANO 1:

ANO 2:

25 DE JANEIRO: Se VOCÊ fosse um sabor de gloss labial, qual seria e por quê? Dê a si mesma um nome saborlícia!

ANO 1:

ANO 2:

26 DE JANEIRO: Hoje não vai ter aula por causa de um imprevisto na escola! Uhu! Como você pretende passar o dia?

A) Deitada na cama, recuperando o sono atrasado.

B) Relaxando de pijama, lendo seu livro favorito.

C) Conversando com as suas melhores amigas.

ANO 1:

ANO 2:

27 DE JANEIRO: As férias estão quase terminando. O tempo passou SUPER-rápido ou se ARRASTOU sem fim? Explique.

ANO 1:

ANO 2:

28 DE JANEIRO: Qual foi a última coisa que te deixou tão BRAVA que você sentiu vontade de GRITAR?

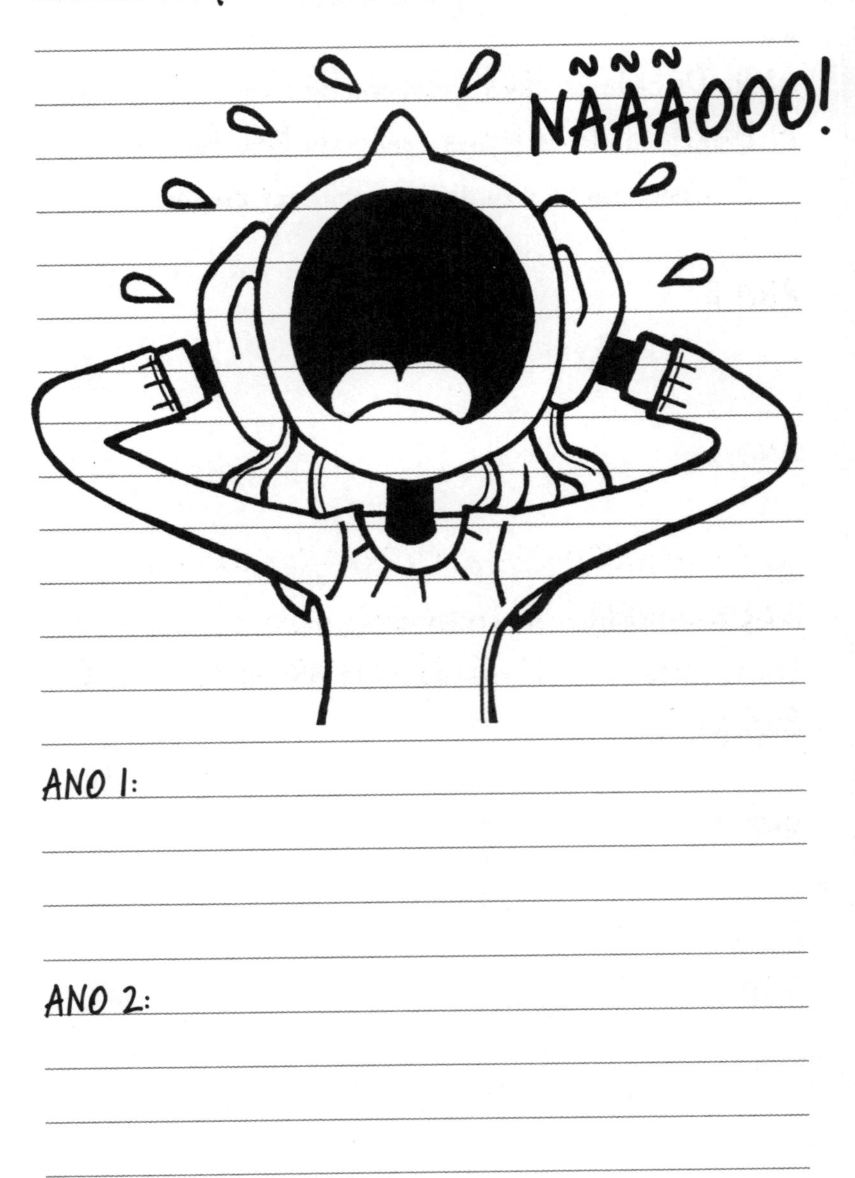

ANO 1:

ANO 2:

29 DE JANEIRO: "Estou um pouco PREOCUPADA com o início das aulas no colégio porque ______________."

ANO 1:

ANO 2:

30 DE JANEIRO: "Estou SUPERANIMADA com o início das aulas no colégio porque ______________."

ANO 1:

ANO 2:

31 DE JANEIRO: "NUNCA vou esquecer como me DIVERTI nessas férias, quando ______________ ☺!"

Faça um desenho a seguir.

ANO 1:

ANO 2:

FEVEREIRO

1º DE FEVEREIRO: Que roupa ou acessórios você vai usar no primeiro dia de aula? Liste também as roupas ou acessórios que vai usar até o fim da semana.

ANO 1:

ANO 2:

2 DE FEVEREIRO: Você está prestes a escolher um lugar na sua nova sala de aula. Você se senta na frente, no meio ou no fundo? Por quê?

ANO 1:

ANO 2:

3 DE FEVEREIRO: Se você fosse a diretora do seu colégio por um dia, o que faria para torná-lo mais divertido e interessante?

ANO 1:

ANO 2:

4 DE FEVEREIRO: Você ficou presa no shopping por uma noite com as suas melhores amigas ☺! Escreva uma lista de coisas que vocês fariam.

ANO 1:

ANO 2:

5 DE FEVEREIRO: A cozinheira do seu colégio pediu a sua ajuda para preparar um cardápio delicioso, que os alunos vão AMAR! O que você sugere?

ANO 1:

ANO 2:

6 DE FEVEREIRO: Você já fez algo MALUCO para impressionar seu PAQUERA?

RESPOSTA DA NIKKI: Sim. Eu fingi que sabia patinar no gelo!

ANO 1:

ANO 2:

7 DE FEVEREIRO: Crie uma receita para o seu paquera dos sonhos! (Tipo: 2 xícaras de gentileza, 3 colheres de beleza etc.)

ANO 1:

ANO 2:

8 DE FEVEREIRO: Neste momento, com quem você se acha mais parecida: COMIGO, com a Chloe, a Zoey ou a MacKenzie? Por quê?

ANO 1:

ANO 2:

9 DE FEVEREIRO: Quando você está SUPERfeliz e empolgada, o que costuma dizer que é meio bobo?

RESPOSTA DA NIKKI: Eu abro um sorrisão, fecho os olhos com força e grito: "ÊÊÊÊÊ!" ☺!

ANO 1:

ANO 2:

10 DE FEVEREIRO: Você acabou de formar uma banda com seis amigos! Qual é o nome da banda e quem faz o que nela?

ANO 1:

ANO 2:

11 DE FEVEREIRO: Preciso de um conselho! O que você acha que eu deveria fazer para mostrar ao Brandon que gosto dele? Ou você acha que devo guardar esse segredo para não estragar a nossa amizade? ME AJUDE!!

ANO 1:

ANO 2:

12 DE FEVEREIRO: QUEM ou O QUE lhe causa um ataque de SMR (Síndrome da Montanha-Russa), também conhecida como frio na barriga? ÊÊÊÊÊ!! ☺!

ANO 1:

ANO 2:

13 DE FEVEREIRO: Amanhã é Dia de São Valentim! Faça uma lista de amigos e familiares para quem você gostaria de dar um cartão.

ANO 1:

ANO 2:

14 DE FEVEREIRO: "Eu achava que ________________ era PÉSSIMO, mas agora eu acho muito LEGAL!"

ANO 1:

ANO 2:

15 DE FEVEREIRO: "Eu achava que ________________ era muito LEGAL, mas agora eu acho PÉSSIMO!"

ANO 1:

ANO 2:

16 DE FEVEREIRO: Seu colégio está ensaiando uma peça de teatro! Você prefere ser a atriz principal, a diretora ou a figurinista? Por quê?

ANO 1:

ANO 2:

17 DE FEVEREIRO: Se a sua vida fosse um conto de fadas, qual seria e por quê?

ANO 1:

ANO 2:

18 DE FEVEREIRO: Quem você preferiria ser: a presidente da República ou a primeira-dama? Por quê?

ANO 1:

ANO 2:

19 DE FEVEREIRO: Se você vencesse uma competição num programa de TV, que prêmio gostaria de ganhar?

ANO 1:

ANO 2:

20 DE FEVEREIRO: "Meus amigos sempre dizem que sou muito boa em ______________!"

RESPOSTA DA NIKKI: Tenho certeza que você adivinhou que todo mundo me diz que sou uma ARTISTA muito boa!!

ANO 1:

ANO 2:

21 DE FEVEREIRO: Se você fosse um animal, qual seria e por quê?

ANO 1:

ANO 2:

22 DE FEVEREIRO: Por favor, não se ASSUSTE! Qual é o seu inseto favorito e por quê? Qual deles você menos gosta e por quê?

ANO 1:

ANO 2:

23 DE FEVEREIRO: Você já contou um segredo a alguém e então ESSE ALGUÉM contou para outra pessoa? Qual era o segredo e QUEM contou?

ANO 1:

ANO 2:

24 DE FEVEREIRO: Alguém já lhe contou um segredo e você ficou MORRENDO de vontade de contar para outra pessoa? Qual era o segredo? Você o guardou ou ESPALHOU?

ANO 1:

ANO 2:

25 DE FEVEREIRO: Qual SOBREMESA você AMA tanto que seria capaz de comer no café da manhã, no almoço E no jantar se pudesse?

ANO 1:

ANO 2:

26 DE FEVEREIRO: O que você MORRE DE VONTADE de dizer para a MacKenzie Hollister?

ANO 1:

ANO 2:

27 DE FEVEREIRO: O que você MORRE DE VONTADE de dizer para mim, Nikki Maxwell?

ANO 1:

ANO 2:

28 DE FEVEREIRO: Imagine que o seu PAQUERA finalmente convidou você para sair. O que acontece no seu encontro dos sonhos?

ANO 1:

ANO 2:

29 DE FEVEREIRO: Anos bissextos só acontecem de quatro em quatro anos. O que você gostaria que acontecesse apenas uma vez a cada quatro anos?

RESPOSTA DA NIKKI: Eu ODEIO arrumar o meu quarto! Seria MUITO bom arrumá-lo só uma vez a cada quatro anos ☺!

ANO BISSEXTO:

MARCO

1º DE MARÇO: Qual foi a última coisa SUPERengraçada que fez você RDR (rolar de rir)?

ANO 1:

ANO 2:

2 DE MARÇO: Se você pudesse se dar um apelido muito legal, qual seria? Por quê?

ANO 1:

ANO 2:

3 DE MARÇO: Qual é a coisa mais nojenta que tem na cantina do seu colégio?

RESPOSTA DA NIKKI: Hum... TUDO?! Mas, sério, a pior é a torta de sardinha com queijo, porque depois que como minha barriga fica fazendo uns barulhos estranhos o dia todo.

ANO 1:

ANO 2:

4 DE MARÇO: Você é uma ESTRELA superfamosa! Qual é a MELHOR coisa em ser VOCÊ? E a PIOR?

ANO 1:

ANO 2:

5 DE MARÇO: Qual foi a última coisa com a qual você sonhou?

ANO 1:

ANO 2:

6 DE MARÇO: Sua avó acabou de se oferecer para renovar seu guarda-roupa. ÊÊÊÊÊ! Faça uma lista dos lugares em que mais gosta de se acabar de tanto comprar.

ANO 1:

ANO 2:

7 DE MARÇO: Você tem um celular MÁGICO! Ele liga para qualquer pessoa, do presente ou do passado. PARA QUEM você ligaria e por quê?

ANO 1:

ANO 2:

8 DE MARÇO: Qual foi a coisa mais legal que alguém fez por você nos últimos tempos? Como você se sentiu?

ANO 1:

ANO 2:

9 DE MARÇO: De quais conquistas pessoais você mais se orgulha?

ANO 1:

ANO 2:

10 DE MARÇO: Qual é seu perfume ou desodorante preferido? Tem cheiro de quê?

ANO 1:

ANO 2:

11 DE MARÇO: Liste as cinco características mais importantes de uma melhor amiga.

RESPOSTA DA NIKKI: Para mim, uma boa melhor amiga...

1. dá um abraço de urso quando você está triste;
2. divide a pipoca com você no cinema;
3. NÃO CONTA para ninguém quem é seu paquera;
4. ajuda você com perguntas difíceis da lição de casa;
5. te apoia mesmo quando pensa que você está maluca.

ANO 1:

ANO 2:

12 DE MARÇO: Quem é seu professor PREFERIDO e por quê?

ANO 1:

ANO 2:

13 DE MARÇO: Que música combina com o seu humor de hoje: música pop animada, emo depressiva ou um super hip-hop?

ANO 1:

ANO 2:

14 DE MARÇO: Que música você gosta de cantar no chuveiro?

RESPOSTA DA NIKKI: A música da propaganda do cereal da princesa de pirlimpimpim. Detesto, mas é tão grudenta que não sai mais da minha cabeça!

ANO 1:

ANO 2:

15 DE MARÇO: Qual foi a última música que grudou na SUA cabeça?

ANO 1:

ANO 2:

16 DE MARÇO: Qual petisco delicioso você tem vontade de comer com mais frequência?

HUMMM...
MEU PETISCO
FAVORITO...

CHIPS

CHOC

ANO 1:

ANO 2:

17 DE MARÇO: FELIZ DIA DE SÃO PATRÍCIO! Você acabou de encontrar um POTE DE OURO no fim do arco-íris. O que vai fazer com ele?

ANO 1:

ANO 2:

18 DE MARÇO: Quem é a sua celebridade feminina FAVORITA e por quê?

ANO 1:

ANO 2:

19 DE MARÇO: Quem é a sua celebridade masculina FAVORITA e por quê?

ANO 1:

ANO 2:

20 DE MARÇO: O que você costuma rabiscar OBSESSIVAMENTE? Rabisque isso no espaço abaixo.

ANO 1:

ANO 2:

21 DE MARÇO: Qual foi o último livro que você leu e achou TÃO bom que não queria que terminasse? Por que gostou dele?

ANO 1:

ANO 2:

22 DE MARÇO: Eu ADORO sapatos SUPERfofos! Qual é o SEU vício fashion?

ANO 1:

ANO 2:

23 DE MARÇO: Descreva a casa dos seus SONHOS. Onde fica?

ANO 1:

ANO 2:

24 DE MARÇO: "Eu me sinto uma bebezona quando ________________!"

ANO 1:

ANO 2:

25 DE MARÇO: "Eu me sinto uma adolescente madura quando ________________!"

ANO 1:

ANO 2:

26 DE MARÇO: Liste TRÊS coisas que você MORRE DE MEDO de fazer, mas que COM CERTEZA vai tentar mesmo assim.

ANO 1:

ANO 2:

27 DE MARÇO: Que presente de aniversário FABULOSO faria você SURTAR completamente?

ANO 1:

ANO 2:

28 DE MARÇO: Qual é seu hábito MAIS ESQUISITO?

RESPOSTA DA NIKKI: Eu falo dormindo! MUITO!

ANO 1:

ANO 2:

29 DE MARÇO: Ultimamente, você tem sido uma MANÍACA DA ORGANIZAÇÃO ou uma RATA BAGUNCEIRA?

ANO 1:

ANO 2:

30 DE MARÇO: Se você pudesse ser uma princesa da Disney, qual escolheria e por quê?

ANO 1:

ANO 2:

31 DE MARÇO: Parabéns, PRINCESA! Hoje é o dia do seu casamento! Com qual PRÍNCIPE da Disney você vai se casar e por quê?

ANO 1:

ANO 2:

ABRIL

1º DE ABRIL: FELIZ DIA DA MENTIRA! Você já pregou uma peça em alguém? Alguém já isso fez com você? Detalhes, por favor.

ANO 1:

ANO 2:

2 DE ABRIL: Se você pudesse voltar no tempo, que dia INCRÍVEL gostaria de viver mais uma vez?

ANO 1:

ANO 2:

3 DE ABRIL: Se você pudesse voltar no tempo, que dia NOJENTO gostaria de consertar?

ANO 1:

ANO 2:

4 DE ABRIL: As chuvas de abril trazem as flores de maio! O que você gosta de fazer em um dia chuvoso?

ANO 1:

ANO 2:

5 DE ABRIL: Acabamos de fazer uma REFORMA COMPLETA no seu QUARTO! Descreva como ele ficou!

ANO 1:

ANO 2:

6 DE ABRIL: O que te fez ficar de castigo da última vez?

RESPOSTA DA NIKKI: Meu avental de pintura estava na máquina de lavar, então eu peguei uma das camisas de trabalho do meu pai emprestada e, sem querer, derrubei um monte de tinta azul-turquesa nela. Ele a usou para trabalhar no dia seguinte! Sinceramente... acho que a cor destacou de verdade o azul de seus olhos.

ANO 1:

ANO 2:

7 DE ABRIL: Descreva uma vez em que você ajudou alguém com um problema. Como se sentiu?

ANO 1:

ANO 2:

8 DE ABRIL: Sou totalmente OBCECADA por ARTE! Por qual atividade VOCÊ é totalmente obcecada?

ANO 1:

ANO 2:

9 DE ABRIL: INTELIGÊNCIA, FOFURA ou BOM HUMOR? Que característica de um paquera lhe causa SMR?

ANO 1:

ANO 2:

10 DE ABRIL: Todo mundo tem um talento OCULTO! Qual é o SEU?

NO MEU PRÓXIMO TRUQUE DE MÁGICA, VOU TIRAR UM COELHO DA...

ANO 1:

ANO 2:

11 DE ABRIL: "Eu sempre me sinto MUITO de saco cheio quando ______________." Complete e explique o motivo.

ANO 1:

ANO 2:

12 DE ABRIL: Qual é a matéria MAIS DIFÍCIL do colégio? E a MAIS FÁCIL?

ANO 1:

ANO 2:

13 DE ABRIL: "Eu quero fazer aulas de ____________, tipo, DESDE SEMPRE!!" Explique o motivo.

BRANDON ME DANDO AULA DE BATERIA!

ANO 1:

ANO 2:

14 DE ABRIL: Que tipo de doce você adoraria comer agora? Escreva seus três doces preferidos.

ANO 1:

ANO 2:

15 DE ABRIL: Você e eu temos MUITAS coisas em comum! Liste algumas delas.

ANO 1:

ANO 2:

16 DE ABRIL: Se você pudesse aparecer na capa de QUALQUER revista, qual seria e por quê?

ANO 1:

ANO 2:

17 DE ABRIL: O que você consegue fazer agora que não conseguia no ano passado?

ANO 1:

ANO 2:

18 DE ABRIL: Se você pudesse inventar um feriado, como se chamaria e como seria celebrado?

RESPOSTA DA NIKKI: Meu feriado se chamaria Dia Nacional da Garota Nada Popular! Faríamos uma enorme festa no colégio e pensaríamos nas coisas que nos tornam únicas!

ANO 1:

ANO 2:

19 DE ABRIL: Que ingredientes você ama colocar na pizza?

ANO 1:

ANO 2:

20 DE ABRIL: É época de Páscoa! Agradeça pelas coisas boas na sua vida! E liste todas elas a seguir.

ANO 1:

ANO 2:

21 DE ABRIL: Qual é seu filme FAVORITO de todos os tempos? Por quê?

ANO 1:

ANO 2:

22 DE ABRIL: Qual é seu filme ROMÂNTICO preferido? Por quê?

ANO 1:

ANO 2:

23 DE ABRIL: Você acabou de fazer uma transformação GLAMOUROSA em MIM! Descreva o meu penteado FABULOSO e a minha roupa CHIQUE!

ANO 1:

ANO 2:

24 DE ABRIL: Eu acabei de fazer uma transformação GLAMOUROSA em você! Descreva o seu penteado FABULOSO e a sua roupa CHIQUE!

ANO 1:

ANO 2:

25 DE ABRIL: "O que eu MAIS gosto no outono é ______________! O que eu MENOS gosto é ______________!"

ANO 1:

ANO 2:

26 DE ABRIL: Você se lembra de alguma vez em que se sentiu TÃO FELIZ que teve vontade de chorar? Detalhes, por favor.

Eu ganhei o concurso de artes do WCD!

ANO 1:

ANO 2:

27 DE ABRIL: Escolha UMA palavra que descreva você. Por que essa palavra?

ANO 1:

ANO 2:

28 DE ABRIL: Escolha UMA palavra que descreva sua melhor amiga. Por que essa palavra?

ANO 1:

ANO 2:

29 DE ABRIL: Você está jantando fora com a sua família! Você ADORA esse momento ou tem VERGONHA se alguém do colégio vir você com eles?

ANO 1:

ANO 2:

30 DE ABRIL: Você ficou um pouquinho maluca na pet shop! Invente nomes fofos para os seus quatro novos animais de estimação: cachorro, gato, peixe e macaco.

ANO 1:

ANO 2:

MAIO

1º DE MAIO: DE QUEM ou DO QUE você tem tanto MEDO quanto a Brianna tem da fada do dente?

ANO 1:

ANO 2:

2 DE MAIO: Que objeto de valor INESTIMÁVEL você possui? Por que ele é tão valioso?

RESPOSTA DA NIKKI: Meu diário não tem preço! É como uma melhor amiga em forma de livro. E provavelmente eu teria um colapso se um dia o perdesse.

ANO 1:

ANO 2:

3 DE MAIO: "Estou tão CANSADA de ____________!" Complete e diga por quê.

ANO 1:

ANO 2:

4 DE MAIO: Se sua vida fosse um livro, qual seria o título e por quê?

ANO 1:

ANO 2:

5 DE MAIO: "Eu limparia a casa por um mês se meus pais me deixassem ______________!"

ANO 1:

ANO 2:

6 DE MAIO: O DIA DAS MÃES está chegando! Liste CINCO motivos pelos quais a SUA é a MELHOR mãe do MUNDO! Agora faça um cartão de Dia das Mães e escreva isso dentro dele.

ANO 1:

ANO 2:

7 DE MAIO: Se você pudesse ter qualquer animal como bicho de estimação, qual seria e por quê?

ANO 1:

ANO 2:

8 DE MAIO: Você e suas melhores amigas estão jogando VERDADE OU DESAFIO! Qual você escolhe e por quê?

ANO 1:

ANO 2:

9 DE MAIO: Qual VERDADE você temeria mais? E qual DESAFIO temeria mais?

ANO 1:

ANO 2:

10 DE MAIO: VOCÊ acabou de lançar uma coleção de roupas FABULOSAS para meninas! Descreva como é a sua linha de roupas.

ANO 1:

ANO 2:

11 DE MAIO: Seus pais vão conversar com a sua professora sobre o seu progresso em sala de aula. Você fica supercalma ou uma verdadeira pilha de nervos?

ANO 1:

ANO 2:

12 DE MAIO: Você prefere viajar de avião, trem ou barco? Por quê?

ANO 1:

ANO 2:

13 DE MAIO: Você deu uma REPAGINADA completa no seu armário do colégio. Como ficou?

ANO 1:

ANO 2:

14 DE MAIO: Você planeja seu dia cuidadosamente ou segue o fluxo? Por quê?

ANO 1:

ANO 2:

15 DE MAIO: Você e suas amigas estão planejando a semana de férias mais FANTÁSTICA de TODOS OS TEMPOS. Detalhes, por favor.

ANO 1:

ANO 2:

16 DE MAIO: Faça uma lista das coisas que você carrega na mochila ou na bolsa. Circule a mais importante. Risque a menos importante.

ANO 1:

ANO 2:

17 DE MAIO: De QUEM você sente mais falta quando essa pessoa não está por perto e por quê?

ANO 1:

ANO 2:

18 DE MAIO: Qual foi o pior presente que você já ganhou?

RESPOSTA DA NIKKI: No Natal, ganhei da minha vizinha, a sra. Wallabanger, um par de botas cinco números maior que o meu. E ela deu para o meu pai botas rosa com lantejoula que eram bem pequenas. Acho que ela acidentalmente trocou nossos presentes!

ANO 1:

ANO 2:

19 DE MAIO: Você gosta mais de cães ou de gatos? Por quê?

ANO 1:

ANO 2:

20 DE MAIO: Que atividade em família faz você se sentir amada e aconchegada?

ANO 1:

ANO 2:

21 DE MAIO: Que atividade em família você ODEIA tanto que preferiria mascar papel-alumínio?

ANO 1:

ANO 2:

22 DE MAIO: Você preferiria passar o dia flutuando no FUNDO DO MAR ou NAS NUVENS?

ANO 1:

ANO 2:

23 DE MAIO: Quem deveria levar o prêmio de Professor Mais Bacana do Ano no seu colégio e por quê?

ANO 1:

ANO 2:

24 DE MAIO: Que hábito estranho da sua mãe ou do seu pai deixa você maluca?

ANO 1:

ANO 2:

25 DE MAIO: Qual foi a coisa mais ATRAPALHADA que você fez em público nos últimos tempos?

ANO 1:

ANO 2:

26 DE MAIO: Descreva uma vez em que você teve um problema com um amigo ou amiga e consertou as coisas.

ANO 1:

ANO 2:

27 DE MAIO: Dar risadinhas, fazer fofoquinhas, passar gloss labial. Qual dessas três coisas você assume que mais faz?

ANO 1:

ANO 2:

28 DE MAIO: Você vai passar o dia na praia! Qual é a primeira coisa que pretende fazer: relaxar ouvindo música, construir um enorme castelo de areia ou dar um mergulho?

ANO 1:

ANO 2:

29 DE MAIO: Escreva suas três maiores qualidades.

RESPOSTA DA NIKKI:

1. Sou muito TONTA!
2. Tenho um senso de humor meio louco.
3. Sou uma artista muito boa.

ANO 1:

ANO 2:

30 DE MAIO: Está chovendo e você está presa em casa! Quais são os três jogos que você gostaria de jogar no videogame?

ANO 1:

ANO 2:

31 DE MAIO: Descreva o seu mais romântico encontro dos sonhos! Detalhes, por favor!

ANO 1:

ANO 2:

JUNHO

1º DE JUNHO: Sua professora está fazendo você assistir a um documentário SUPERlongo e SUPERchato sobre LESMAS! ECA! Você se força a prestar atenção, rabisca o caderno ou cochila?

ANO 1:

ANO 2:

2 DE JUNHO: Qual foi o melhor elogio que você recebeu nos últimos tempos? Como se sentiu?

ANO 1:

ANO 2:

3 DE JUNHO: Escreva o nome de alguém esperto e que ama ler, como a minha melhor amiga Zoey.

ANO 1:

ANO 2:

4 DE JUNHO: Escreva o nome de uma pessoa que é uma ROMÂNTICA INCORRIGÍVEL e ALUCINADA POR GAROTOS, como a minha melhor amiga Chloe.

ANO 1:

ANO 2:

5 DE JUNHO: O que te deixa mais do que feliz?

RESPOSTA DA NIKKI: Sempre que a minha mãe me leva à papelaria para comprar lápis de cor, tintas e essas coisas, eu fico tão animada e feliz quanto a Brianna quando vai a uma doceria.

ANO 1:

ANO 2:

6 DE JUNHO: O que te deixa totalmente exausta?

ANO 1:

ANO 2:

7 DE JUNHO: De QUEM você ADORARIA ganhar um presente de Dia dos Namorados?

ANO 1:

ANO 2:

8 DE JUNHO: Que cor de esmalte combina melhor com seu humor neste momento? Dê a ele um nome legal.

ANO 1:

ANO 2:

9 DE JUNHO: Parabéns! Você acabou de ganhar o Prêmio Nobel da Paz por tornar o mundo um lugar melhor. O que você fez para conseguir isso?

ANO 1:

ANO 2:

10 DE JUNHO: Você vai tomar uma caneca gigante de chocolate quente! Você coloca mais chantili ou mais marshmallow?

CHANTILI

MARSHMALLOW

ANO 1:

ANO 2:

11 DE JUNHO: Qual família famosa da TV é mais parecida com a sua? No que vocês se parecem?

ANO 1:

ANO 2:

12 DE JUNHO: FELIZ DIA DOS NAMORADOS!

Se você pudesse fazer BOLOS DE CORAÇÃO para o seu paquera, o que escreveria neles? Faça uma lista com cinco coisas.

VOCÊ É LINDO!

OS TONTOS COMANDAM!

SEI LÁ!

ANO 1:

ANO 2:

13 DE JUNHO: Você acabou de criar um grupo de dança que se apresenta em eventos da região! Quem faz parte dele? Dê um nome legal ao grupo, como Tontolícias!

EU, ARREBENTANDO NUM PASSO DE DANÇA

ANO 1:

ANO 2:

14 DE JUNHO: Imagine que você e seu paquera formam um casal de celebridades. Combine o nome de vocês e crie um apelido fofo ao estilo de Hollywood!

RESPOSTA DA NIKKI: Certo, para mim e o Brandon, que tal... BRANNIK! ÊÊÊÊÊ ☺!!

ANO 1:

ANO 2:

15 DE JUNHO: Minha amiga Zoey tem uma citação famosa para cada ocasião. Qual foi a última coisa muito profunda que um amigo ou amiga lhe disse que iluminou totalmente suas ideias?

ANO 1:

ANO 2:

16 DE JUNHO: AI, MEU DEUS! Você está trabalhando na BARRACA DO BEIJO da festa junina da sua escola! Escreva o nome de seis pessoas na fila do beijo!

ANO 1:

ANO 2:

17 DE JUNHO: O que faz você ter vontade de vomitar?

RESPOSTA DA NIKKI: Observar minha irmã, a Brianna, devorar seu lanche favorito: sanduíche de ketchup com banana. ECAA!!!

ANO 1:

ANO 2:

18 DE JUNHO: Qual a festa mais incrível a que você foi este ano? Por que ela foi tão especial?

ANO 1:

ANO 2:

19 DE JUNHO: Você é uma celebridade SUPERfamosa! Você é cantora, atriz, top model, atleta ou o quê? Explique.

EU, COMO GINASTA OLÍMPICA →

BARRA DE EQUILÍBRIO ↓

ANO 1:

ANO 2:

20 DE JUNHO: O que faz você querer ficar mais velha logo: começar o ensino médio, dirigir, namorar, arrumar um emprego ou alguma outra coisa? Explique.

ANO 1:

ANO 2:

21 DE JUNHO: Você se diverte mais indo ao shopping com seus sete amigos mais próximos ou relaxando no seu quarto com suas melhores amigas?

RESPOSTA DA NIKKI: Relaxando no meu quarto com a Chloe e a Zoey, claro ☺!

ANO 1:

ANO 2:

22 DE JUNHO: AI, MEU DEUS! A irritante da sua irmã mais nova acabou de roubar seu diário! Como você pretende pegá-lo de volta?

BRIANNA, A
LADRA DE
DIÁRIOS!

ANO 1:

ANO 2:

23 DE JUNHO: Quando foi a última vez que você dedurou seu irmão ou sua irmã? Explique o que aconteceu.

ANO 1:

ANO 2:

24 DE JUNHO: Quando foi a última vez que seu irmão ou sua irmã dedurou você? Explique o que aconteceu.

ANO 1:

ANO 2:

25 DE JUNHO: UAU! Você tem um vídeo no YouTube com um milhão de visualizações! O que você aparece fazendo no vídeo?

ANO 1:

ANO 2:

26 DE JUNHO: Se você pudesse ter qualquer idade neste exato momento, qual seria e por quê?

ANO 1:

ANO 2:

27 DE JUNHO: Hoje, a Chloe, a Zoey e eu vamos ficar na SUA casa! ÊÊÊÊÊ!! O que vamos fazer juntas? Planeje um dia SUPERdivertido!

ANO 1:

ANO 2:

28 DE JUNHO: Se você pudesse criar seu próprio acampamento DOS SONHOS, como ele se chamaria? Descreva-o.

ANO 1:

ANO 2:

29 DE JUNHO: Faça uma lista das coisas que você vai levar para o seu acampamento dos sonhos para que você e suas colegas de quarto se divirtam muito!

ANO 1:

ANO 2:

30 DE JUNHO: Você acabou de lançar seu próprio reality show, estrelado por VOCÊ e suas MELHORES AMIGAS! Qual é o nome do programa? Sobre o que é? Quem são os outros participantes?

ANO 1:

ANO 2:

JULHO

1º DE JULHO: FINALMENTE! Férias! O que você pretende fazer na sua primeira semana em casa? Faça uma lista curta.

ANO 1:

ANO 2:

2 DE JULHO: O que um membro da sua família faz que DEIXA VOCÊ MALUCA?!!!

RESPOSTA DA NIKKI: A Brianna me deixa maluca quando quer que a Bicuda "experimente" a minha comida. Uma vez, a Brianna enfiou a mão inteira no meu espaguete! ECAA! Foi TÃOOO nojento!!

ANO 1:

ANO 2:

3 DE JULHO: "AI, MEU DEUS! Mal posso esperar para ________!!"

ANO 1:

ANO 2:

4 DE JULHO: Hoje você tem consulta no DENTISTA! Você está tranquila ou morrendo de medo? Explique.

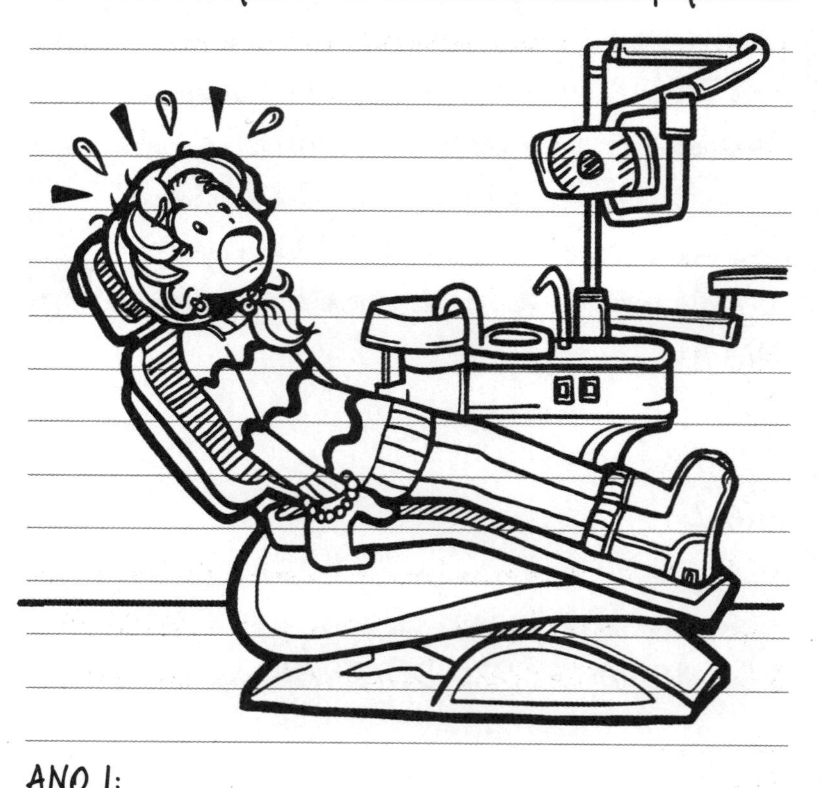

ANO 1:

ANO 2:

5 DE JULHO: Está rolando uma promoção de 50% de desconto no shopping! Escreva cinco coisas que você precisa comprar para dar uma melhorada no seu guarda-roupa.

ANO 1:

ANO 2:

6 DE JULHO: Você encontrou uma máquina do tempo toda empoeirada no sótão! Você vai viajar para o PASSADO ou para o FUTURO? Para onde decide ir e por quê?

ANO 1:

ANO 2:

7 DE JULHO: O que você acha mais aconchegante em uma noite fria de inverno: uma camisola de plush, um pijama bem fofinho ou um macacão daqueles com pezinhos?

ANO 1:

ANO 2:

8 DE JULHO: De qual celebridade você está TÃO cansada que gostaria de mandá-la para Marte só com a passagem de ida? Por quê?

ANO 1:

ANO 2:

9 DE JULHO: Qual foi a última coisa que sua mãe ou seu pai fez, TÃO constrangedora que você ficou com vontade de publicar o seguinte anúncio no jornal: "Garota adolescente procura NOVOS PAIS! Não é necessário experiência!"

ANO 1:

ANO 2:

10 DE JULHO: Você acabou de conseguir o MELHOR emprego de férias DE TODOS OS TEMPOS. O que você vai fazer?

ANO 1:

ANO 2:

11 DE JULHO: Você acabou de se meter no PIOR emprego de férias do MUNDO! Qual é?

RESPOSTA DA NIKKI: Eu sentiria MUITA PENA de qualquer pessoa que tivesse que ser babá da Brianna. Espera um pouco... Esse É o meu emprego de férias ☹!!

ANO 1:

ANO 2:

12 DE JULHO: Você acabou de ganhar sua varinha de fada madrinha! A QUEM você concederia três desejos e por quê?

ANO 1:

ANO 2:

13 DE JULHO: Qual foi o último filme que você viu que, de tão ASSUSTADOR, você precisou dormir com as luzes acesas?

ANO 1:

ANO 2:

14 DE JULHO: Qual é o seu sabor de sorvete PREFERIDO?

RESPOSTA DA NIKKI: Sorvete sabor de bolo de aniversário com confetes de chocolate! HUMM!!

ANO 1:

ANO 2:

15 DE JULHO: "Eu teria um CHILIQUE completo se ________."

ANO 1:

ANO 2:

16 DE JULHO: Se você fosse parar em uma ilha deserta por dois dias, quais seriam três coisas que você levaria (além de comida e água)?

ANO 1:

ANO 2:

17 DE JULHO: OPS! Você está encrencada com seus pais! Qual castigo você mais TEME? Ficar sem TV por uma semana, sem celular por uma semana ou sem sair de casa por uma semana?

ANO 1:

ANO 2:

18 DE JULHO: "Minha música preferida dos últimos tempos foi ______________."

ANO 1:

ANO 2:

19 DE JULHO: Descreva um momento em que você se esforçou muito para fazer algo especial, mas as coisas não saíram como você queria.

ANO 1:

ANO 2:

20 DE JULHO: Com o que você sonha acordada?

ANO 1:

ANO 2:

21 DE JULHO: Seu pai acabou de avisar que vocês vão passar um tempo em família na mata! Você prefere ficar numa BARRACA, numa CABANA ou num TRAILER? Por quê?

ANO 1:

ANO 2:

22 DE JULHO: Você acabou de tirar sua carteira de motorista! ÊÊÊÊÊ!! Descreva o carro dos seus sonhos para dirigir até o colégio todos os dias.

ANO 1:

ANO 2:

23 DE JULHO: AI, MEU DEUS! Você acabou de encontrar uma lata de inseticida MÁGICO. Escreva três coisas nas quais você gostaria de espirrar esse líquido para que desaparecessem num passe de mágica.

RESPOSTA DA NIKKI: MacKenzie!
Brincadeirinha ☺!

ANO 1:

ANO 2:

24 DE JULHO: O que você quer ser quando crescer e por quê?

ANO 1:

ANO 2:

25 DE JULHO: Qual foi o último filme a que você assistiu que te fez chorar sem parar?

ANO 1:

ANO 2:

26 DE JULHO: Que livro você ADORARIA ver transformado em filme?

RESPOSTA DA NIKKI: Hum... Acho que você já sabe a minha resposta: *DIÁRIO DE UMA GAROTA NADA POPULAR!*

ANO 1:

ANO 2:

27 DE JULHO: Que atividade recente em família acabou se tornando um COMPLETO DESASTRE?

ANO 1:

ANO 2:

28 DE JULHO: Você é um passarinho que acorda cedo ou uma coruja que dorme tarde?

ANO 1:

ANO 2:

29 DE JULHO: Qual programa de TV é tão ruim que você gostaria que já tivesse saído do ar?

ANO 1:

ANO 2:

30 DE JULHO: Você vai a um baile formal e quer ser a diva da festa. Que tipo de vestido pretende usar?

A) Um cor-de-rosa, leve e delicado, feito para uma princesa!

B) Um preto, brilhante e misterioso, que faça as pessoas virarem o pescoço para olhar!

C) Algo chamativo, ousado e divertido, que faça você se destacar na multidão!

ANO 1:

ANO 2:

31 DE JULHO: Você está construindo seu próprio parque de diversões! Descreva como ele é, as atrações que tem e dê um nome ao parque.

ANO 1:

ANO 2:

AGOSTO

1º DE AGOSTO: Você coleciona alguma coisa? O que e quantos itens você tem? Por que os coleciona?

← MINHA COLEÇÃO BEM ESQUISITA DE PRÊMIOS DE PARQUES DE DIVERSÕES

ANO 1:

ANO 2:

2 DE AGOSTO: Seu pai está lá fora fazendo churrasco. Você pede linguiça, asinha de frango, picanha ou legumes grelhados?

RESPOSTA DA NIKKI: Meu pai é um PÉSSIMO churrasqueiro e costuma queimar tudo. Então peço um lanche do McDonald's ☺! Foi mal, pai!

ANO 1:

ANO 2:

3 DE AGOSTO: Se tivesse a chance, você gostaria de ser como o Peter Pan e continuar CRIANÇA para sempre? Por quê, ou por que não?

ANO 1:

ANO 2:

4 DE AGOSTO: Com que amigo ou amiga você pode conversar horas e horas sem se cansar?

ANO 1:

ANO 2:

5 DE AGOSTO: O DIA DOS PAIS está quase aí! Liste CINCO motivos pelos quais o SEU é o MELHOR pai DO MUNDO! Agora, faça um cartão de Dia dos Pais para ele e escreva isso dentro.

ANO 1:

ANO 2:

6 DE AGOSTO: Qual é seu cheiro favorito e por quê?

RESPOSTA DA NIKKI: Eu AMO o cheiro de biscoitos saindo do forno. Principalmente porque isso significa que já posso COMÊ-LOS ☺!

ANO 1:

ANO 2:

7 DE AGOSTO: Diga alguma coisa que você acabou de descobrir sobre a sua melhor amiga.

A CHLOE
ÀS VEZES
USA
ÓCULOS!!

ANO 1:

ANO 2:

8 DE AGOSTO: "Tá bom, eu admito! O que faz a minha MÃE ser até legal é _______________!"

ANO 1:

ANO 2:

9 DE AGOSTO: "Tá bom, eu admito! O que faz o meu PAI ser até legal é _______________!"

ANO 1:

ANO 2:

10 DE AGOSTO: Se você pudesse ter o poder de um super-herói, qual seria e por quê? Qual seria seu nome de super-heroína?

GAROTA NADA POPULAR

ANO 1:

ANO 2:

11 DE AGOSTO: Que famoso fofo seria um bom par para a Chloe?

ANO 1:

ANO 2:

12 DE AGOSTO: Que famoso fofo seria um bom par para a Zoey?

ANO 1:

ANO 2:

13 DE AGOSTO: Qual animal de estimação você considera o PIOR de TODOS OS TEMPOS?

ANO 1:

ANO 2:

14 DE AGOSTO: Se você pudesse passar uma semana em qualquer lugar do MUNDO, para onde iria e por quê?

ANO 1:

ANO 2:

15 DE AGOSTO: Você quer a opinião de um amigo ou amiga a respeito do seu novo corte de cabelo. Você prefere que ele/ela seja brutalmente sincero(a) ou tome cuidado para não ferir seus sentimentos?

ANO 1:

ANO 2:

16 DE AGOSTO: Qual é o seu jogo de tabuleiro preferido e por quê? Com quem você gosta de jogar?

ANO 1:

ANO 2:

17 DE AGOSTO: Se você pudesse mudar algo em você, o que seria e por quê?

ANO 1:

ANO 2:

18 DE AGOSTO: O que você mudou para melhor a respeito de si mesma NOS ÚLTIMOS TEMPOS?

RESPOSTA DA NIKKI: Eu aprendi a enfrentar garotas malvadas como a MacKenzie.

ANO 1:

ANO 2:

19 DE AGOSTO: Você está participando de um reality show para modelos, e a apresentadora quer que você corte o cabelo de um jeito bem moderno. Você diz SIM e aproveita o novo look chique, ou não aceita DE JEITO NENHUM e concorda em voltar para casa?

?!

EU →

ANO 1:

ANO 2:

20 DE AGOSTO: Se você fosse uma inventora, qual seria sua invenção maravilhosa? O que ela faria?

ANO 1:

ANO 2:

21 DE AGOSTO: Se você tivesse um amigo ou amiga fantoche, como a Bicuda, que nome lhe daria? Descreva a personalidade desse(a) amigo(a).

ANO 1:

ANO 2:

22 DE AGOSTO: Crie um desenho do SEU fantoche acrescentando abaixo olhos, cílios, boca, cabelos etc. Divirta-se!

ANO 1:

ANO 2:

23 DE AGOSTO: Você tem uma prova importante amanhã! Entre a Chloe, a Zoey, o Brandon e mim (Nikki!), quem você escolheria para ser seu PARCEIRO DE ESTUDOS e por quê?

ANO 1:

ANO 2:

24 DE AGOSTO: "Vou GRITAR se ouvir alguém falando MAIS UMA VEZ esta gíria ou expressão popular: ________ ☹!"

RESPOSTA DA NIKKI: É, eu sei! Eu uso a expressão "AI, MEU DEUS!" DEMAAAAIS da conta!!

ANO 1:

ANO 2:

25 DE AGOSTO: Se você pudesse estampar seu lema ou frase preferida em uma camiseta, o que escreveria?

ANO 1:

ANO 2:

26 DE AGOSTO: O que você ODEIA tanto fazer que fica adiando até o último minuto?

ANO 1:

ANO 2:

27 DE AGOSTO: Se você pudesse ser um personagem de livro, qual seria e por quê?

ANO 1:

ANO 2:

28 DE AGOSTO: Diga três tarefas domésticas que você ODEIA totalmente. Explique o motivo para cada uma delas.

ANO 1:

ANO 2:

29 DE AGOSTO: Qual é a FOFOCA mais cabeluda dos últimos tempos?

ANO 1:

ANO 2:

30 DE AGOSTO: Se você pudesse dar um rolê com um personagem de desenho na vida real, qual escolheria e por quê?

RESPOSTA DA NIKKI: Eu gostaria de dar um rolê com o Bob Esponja Calça Quadrada, porque ele parece engraçado, simpático e TONTO!

ANO 1:

ANO 2:

31 DE AGOSTO: Se eu fosse a sua fada madrinha e pudesse lhe conceder UM DESEJO, o que você pediria?

ANO 1:

ANO 2:

SETEMBRO

1º DE SETEMBRO: Por quem você tem uma quedinha? Por quê?

ANO 1:

ANO 2:

2 DE SETEMBRO: Na aula de educação física, você é daquelas que fogem da bola, normal ou uma superatleta? Por que acha isso?

ANO 1:

ANO 2:

3 DE SETEMBRO: Quais são as suas três heroínas preferidas do cinema e por quê?

ANO 1:

ANO 2:

4 DE SETEMBRO: Se a cantina do seu colégio fosse um restaurante, quantas estrelas você lhe daria e por quê? Dê de uma a cinco estrelas (cinco é a nota máxima).

ANO 1:

ANO 2:

5 DE SETEMBRO: Complete a frase: "Eu com certeza MORRERIA se meus amigos descobrissem meu SEGREDO MAIS OBSCURO, que é ______________".

ANO 1:

ANO 2:

6 DE SETEMBRO: Se você fosse se apresentar no show de talentos do colégio, qual seria o seu número? Detalhes, por favor.

RESPOSTA DA NIKKI: Eu apresentaria uma canção que compus com a minha banda, Tontolícias, também conhecida como Na Verdade, Ainda Não Sei.

ANO 1:

ANO 2:

7 DE SETEMBRO: FELIZ DIA DA INDEPENDÊNCIA! O que você mais gostaria de fazer hoje? Ficar sentada no escuro vendo os FOGOS DE ARTIFÍCIO ou assistir aos desfiles pela TV?

ANO 1:

ANO 2:

8 DE SETEMBRO: Se você tivesse de trabalhar no seu colégio, preferiria ser PROFESSORA ou a DIRETORA? Por quê?

ANO 1:

ANO 2:

9 DE SETEMBRO: Se você fosse professora, escolheria dar aulas para o ensino fundamental I, II ou para o ensino médio? Explique.

ANO 1:

ANO 2:

10 DE SETEMBRO: Sua mãe acabou de preparar o café da manhã mais delicioso DO MUNDO! Você vai comer PANQUECAS, WAFFLES ou TORRADAS?

ANO 1:

ANO 2:

11 DE SETEMBRO: Qual é a sua matéria preferida no colégio e por quê?

ANO 1:

ANO 2:

12 DE SETEMBRO: Qual é a matéria de que você menos gosta no colégio e por quê?

ANO 1:

ANO 2:

13 DE SETEMBRO: Você finalmente conseguiu guardar cem reais trabalhando como babá! O que vai fazer com a grana?

ANO 1:

ANO 2:

14 DE SETEMBRO: Quem é seu amigo ou amiga MAIS RECENTE?

RESPOSTA DA NIKKI: A minha mais recente amiga é a Marcy. Eu a conheci quando entrei para o jornal do colégio.

ANO 1:

ANO 2:

15 DE SETEMBRO: Que amigo ou amiga você conhece, tipo, DESDE SEMPRE?

ANO 1:

ANO 2:

16 DE SETEMBRO: O que você gostaria de estar fazendo neste exato momento?

ANO 1:

ANO 2:

17 DE SETEMBRO: "A coisa mais INCRÍVEL da minha vida no momento é ____________________!"

ANO 1:

ANO 2:

18 DE SETEMBRO: "A coisa mais NOJENTA da minha vida no momento é ____________________!"

ANO 1:

ANO 2:

19 DE SETEMBRO: Theodore L. Swagmire III é o meu amigo menos popular. Quem é o SEU amigo menos popular?

ANO 1:

ANO 2:

20 DE SETEMBRO: Qual das suas amigas mais se parece com a Chloe?

ANO 1:

ANO 2:

21 DE SETEMBRO: Qual das suas amigas mais se parece com a Zoey?

ANO 1:

ANO 2:

22 DE SETEMBRO: Qual garota do seu colégio mais faz você se lembrar da MacKenzie?

ANO 1:

ANO 2:

23 DE SETEMBRO: "A MacKenzie seria uma pessoa muito mais legal se ela ________________."

ANO 1:

ANO 2:

24 DE SETEMBRO: O que sua mãe ou seu pai vivem repetindo sem parar, como um CD riscado?

RESPOSTA DA NIKKI: Se eles disserem mais uma vez: "Mocinha, eu espero que você seja um bom exemplo para a sua irmã!", eu vou GRITAR!

ANO 1:

ANO 2:

25 DE SETEMBRO: Alguém já fez algo com você "acidentalmente de propósito"? Explique o que aconteceu.

ANO 1:

ANO 2:

26 DE SETEMBRO: Quem é a pessoa mais engraçada que você conhece? Qual foi a última coisa que ela fez e você riu?

RESPOSTA DA NIKKI: Às vezes, a Chloe é tão palhaça! Sempre que ela balança as mãos como se estivesse fazendo uma dancinha, eu morro de rir.

ANO 1:

ANO 2:

27 DE SETEMBRO: De qual aluno(a) do seu colégio você gostaria de se aproximar e fazer amizade? Por quê?

ANO 1:

ANO 2:

28 DE SETEMBRO: Hoje é dia de tirar foto, e você está com uma espinha no rosto do tamanho de uma uva! ECA! O que você vai fazer?!!

ANO 1:

ANO 2:

29 DE SETEMBRO: Você preferiria ser uma líder de torcida animando seu time ou uma atleta participando do jogo? Por quê?

ANO 1:

ANO 2:

30 DE SETEMBRO: Você está concorrendo a presidente do grêmio estudantil! Liste cinco motivos pelos quais você seria MARAVILHOSA nesse cargo.

ANO 1:

ANO 2:

OUTUBRO

1º DE OUTUBRO: Quem é a ÚLTIMA pessoa com quem você gostaria de ficar presa dentro de um elevador?

ANO 1:

ANO 2:

2 DE OUTUBRO: Como seus amigos descreveriam você?

RESPOSTA DA NIKKI: Eles diriam que sou simpática, engraçada e uma melhor amiga fantástica!

ANO 1:

ANO 2:

3 DE OUTUBRO: Com qual brinquedo querido você ainda brinca SECRETAMENTE sempre que pode?

ANO 1:

ANO 2:

4 DE OUTUBRO: Seu pai acabou de juntar um monte de folhas secas. Você ajuda a recolhê-las ou sai correndo e pula no monte?

ANO 1:

ANO 2:

5 DE OUTUBRO: Qual foi a coisa mais legal que você fez para alguém nos últimos tempos?

RESPOSTA DA NIKKI: Eu surpreendi minha irmã, a Brianna, com uma fornada de biscoitos ☺!

ANO 1:

ANO 2:

6 DE OUTUBRO: Qual foi a coisa mais legal que alguém fez para VOCÊ nos últimos tempos?

ANO 1:

ANO 2:

7 DE OUTUBRO: Você está pronta para tocar um pouco de MÚSICA! Você prefere entrar para a fanfarra, a orquestra ou o coral?

ANO 1:

ANO 2:

8 DE OUTUBRO: O que faz você se sentir SUPERinsegura?

ANO 1:

ANO 2:

9 DE OUTUBRO: O que te deixa confiante bem depressa?

RESPOSTA DA NIKKI: Um enorme abraço coletivo com as minhas melhores amigas, a Chloe e a Zoey!

ANO 1:

ANO 2:

10 DE OUTUBRO: Você decidiu praticar um esporte coletivo! Qual será?

ANO 1:

ANO 2:

11 DE OUTUBRO: Você é OTIMISTA ou PESSIMISTA? O que você fez ou disse nos últimos tempos que reflete isso?

ANO 1:

ANO 2:

12 DE OUTUBRO: A MacKenzie faz parte de um grupinho conhecido como as GDPs (garotas descoladas e populares). Crie um nome legal para o seu grupo de amigas. Escreva o nome e as iniciais abaixo.

ANO 1:

ANO 2:

13 DE OUTUBRO: Do que você quer se fantasiar no Halloween deste ano? Descreva detalhadamente a sua fantasia.

ANO 1:

ANO 2:

14 DE OUTUBRO: AI, MEU DEUS!! Seu paquera finalmente convidou você para a festa de Halloween! O que você faz?

A) Sorri de orelha a orelha e diz: "Claro!"

B) Joga os cabelos e, com um sorriso dissimulado, diz: "Vou pensar um pouco e depois respondo".

C) Grita "AAAAAHHHHH!!!" e vai se esconder no banheiro feminino.

ANO 1:

ANO 2:

15 DE OUTUBRO: Você vai à festa de Halloween com o seu paquera! ÊÊÊÊÊ!! Que fantasias vocês vão usar?

ANO 1:

ANO 2:

16 DE OUTUBRO: Com quem você NÃO se dá bem, por mais que tente? Explique.

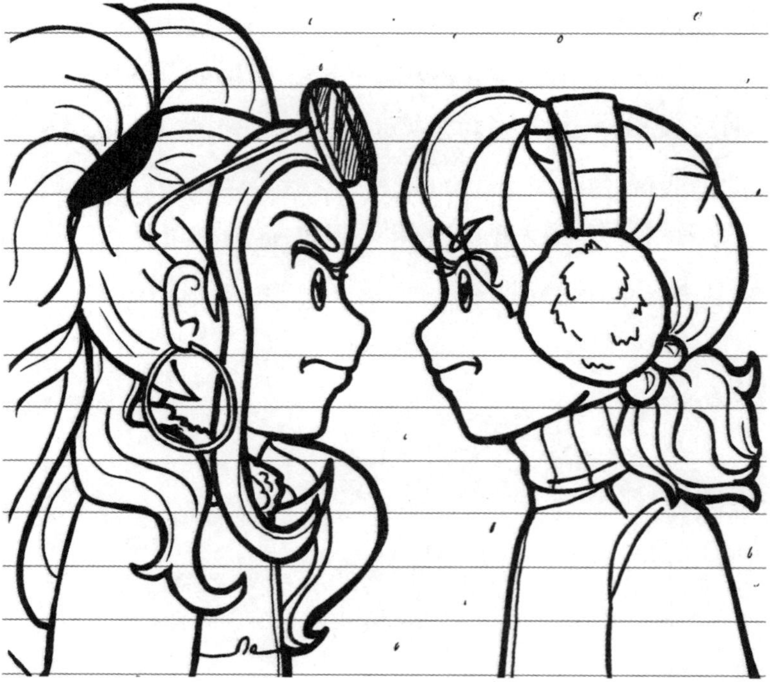

ANO 1:

ANO 2:

17 DE OUTUBRO: Sua professora concordou em levar a sua turma para uma excursão! Aonde VOCÊ quer ir e por quê?

RESPOSTA DA NIKKI: Ao museu de arte. Eu AMO arte!

ANO 1:

ANO 2:

18 DE OUTUBRO: Quem foi a última pessoa que te fez sorrir? Detalhes, por favor.

ANO 1:

ANO 2:

19 DE OUTUBRO: Você acabou de decorar uma abóbora, e agora sobrou um monte de SEMENTES E TRECOS esquisitos!!! ECA!! Você joga fora, joga em alguém ou vomita?

ANO 1:

ANO 2:

20 DE OUTUBRO: A Chloe, a Zoey e eu precisamos de ideias legais para nossa fantasia de Halloween. Por favor, dê uma sugestão para cada uma de nós.

ANO 1:

ANO 2:

21 DE OUTUBRO: Você está planejando um superfesta de Halloween! Pense numa festa legal com muita decoração. Quem você vai convidar?

ANO 1:

ANO 2:

22 DE OUTUBRO: Certa vez, eu usei uma fantasia fedorenta de rato para a festa de Halloween da escola de balé da Brianna. Escreva três fantasias que você acha que seriam ainda mais HORRENDAS!

ANO 1:

ANO 2:

23 DE OUTUBRO: AI, MEU DEUS! Seus pais estão fantasiados de galinha e ovo e insistem em sair para pedir doces na vizinhança com você! O que você faz?

A) Diz "De jeito nenhum!" e fica em casa.

B) Diz "Tudo bem", mas foge deles na primeira casa.

C) Entra na brincadeira e se fantasia de fazendeira.

RESPOSTA DA NIKKI: Fujo deles na primeira casa! Brincadeirinha ☺!

ANO 1:

ANO 2:

24 DE OUTUBRO: Escreva abaixo o máximo de esportes com bola que conseguir lembrar. Depois, circule sua bola favorita e risque a que menos gostar.

ANO 1:

ANO 2:

25 DE OUTUBRO: Desenhe sua própria lanterna de abóbora! Você pode fazer uma cara feliz, boba ou assustadora. Depois, com a permissão dos seus pais, use o desenho para fazer sua lanterna de verdade!

26 DE OUTUBRO: Qual seria a fantasia perfeita de Halloween para a MacKenzie?

RESPOSTA DA NIKKI: A Bruxa Má, com certeza ☺!

ANO 1:

ANO 2:

27 DE OUTUBRO: "Meu doce preferido é ________! O doce de que menos gosto é ________!"

ANO 1:

ANO 2:

28 DE OUTUBRO: Seu colégio vai criar uma casa mal--assombrada para arrecadar dinheiro para a caridade! O que você vai fazer para ajudar a assustar pra valer seus colegas de classe?

ANO 1:

ANO 2:

29 DE OUTUBRO: Sua bola de cristal mágica mostra a você o que vai acontecer comigo e com o Brandon no futuro. O que você vê? Estou MORRENDO de curiosidade ☺!

ANO 1:

ANO 2:

30 DE OUTUBRO: Seu vizinho colocou na varanda uma cesta de doces com uma plaquinha na qual se lê: "Sirva-se". Você pega um doce, um monte ou todos? Por quê?

ANO 1:

ANO 2:

31 DE OUTUBRO: HOJE É HALLOWEEN! Você vai brincar de doces ou travessuras com seus amigos, vai a uma festa ou vai entregar doces para as crianças da vizinhança?

ANO 1:

ANO 2:

NOVEMBRO

1º DE NOVEMBRO: Você vai ter que ler sua redação vencedora diante do colégio INTEIRO! Você fica tranquila ou uma pilha de nervos?

ANO 1:

ANO 2:

2 DE NOVEMBRO: PARABÉNS! Você acabou de abrir uma loja no shopping! Qual é o nome da loja e o que ela vende?

ANO 1:

ANO 2:

3 DE NOVEMBRO: Qual é o seu sabor de chiclete favorito?

ANO 1:

ANO 2:

4 DE NOVEMBRO: "Eu me sinto à vontade sendo o centro das atenções quando ______________."

ANO 1:

ANO 2:

5 DE NOVEMBRO: "É um pouco embaraçoso admitir, mas, quando ninguém está olhando, eu gosto de ________."

ANO 1:

ANO 2:

6 DE NOVEMBRO: Seu paquera te convida para sair no mesmo horário em que você tinha combinado de encontrar suas melhores amigas. O que você faz?

ANO 1:

ANO 2:

7 DE NOVEMBRO: AI, MEU DEUS!! Você apareceu na capa do jornal do colégio! Detalhes, por favor! Escreva abaixo a manchete.

ANO 1:

ANO 2:

8 DE NOVEMBRO: Se você fosse um cachorro, de que raça seria e por quê? Escolha um lindo nome de cãozinho para você.

ANO 1:

ANO 2:

9 DE NOVEMBRO: "Apesar de ser difícil, estou me esforçando muito para NÃO ____________________."

ANO 1:

ANO 2:

10 DE NOVEMBRO: Se você pudesse fazer um intercâmbio para estudar em outro país, que país seria?

ANO 1:

ANO 2:

11 DE NOVEMBRO: Quem você mais admira e por quê?

ANO 1:

ANO 2:

12 DE NOVEMBRO: Qual é a sua cor preferida? Por quê?

RESPOSTA DA NIKKI: Azul-pervinca, porque é uma cor de esmalte muito fofa e uma palavra engraçada de dizer ☺.

ANO 1:

ANO 2:

13 DE NOVEMBRO: Qual foi a última prova que você fez no colégio TÃO DIFÍCIL que quase fez o seu cérebro explodir? Explique.

BUM!

ANO 1:

ANO 2:

14 DE NOVEMBRO: Se você pudesse dar algo seu para a caridade, o que seria e por quê?

ANO 1:

ANO 2:

15 DE NOVEMBRO: Se você pudesse dar algo dos seus pais para a caridade, o que seria e por quê?

ANO 1:

ANO 2:

16 DE NOVEMBRO: Numa noite em que vocês dormiriam na casa de uma delas, suas melhores amigas lhe pregam uma peça, molhando suas roupas e colocando-as no congelador. O que você faz?

A) Fica brava e vai para casa.

B) Ri da brincadeira enquanto seca suas roupas.

C) Joga chantili embaixo do lençol delas.

ANO 1:

ANO 2:

17 DE NOVEMBRO: O que você espera que aconteça no fim do ano escolar e por quê?

ANO 1:

ANO 2:

18 DE NOVEMBRO: "Se um dia eu levar uma advertência, provavelmente será por ________________."

RESPOSTA DA NIKKI: Hum... provavelmente por ser flagrada escrevendo no meu diário durante a aula. Mas isso NUNCA, JAMAIS aconteceu... AINDA!

ANO 1:

ANO 2:

19 DE NOVEMBRO: "Eu sempre me sinto invisível quando ______________."

ANO 1:

ANO 2:

20 DE NOVEMBRO: Que celebridade seria uma ótima irmã mais velha? Explique.

ANO 1:

ANO 2:

21 DE NOVEMBRO: Que celebridade seria um irmão mais velho muito legal? Explique.

ANO 1:

ANO 2:

22 DE NOVEMBRO: De quem você tem mais MEDO quando essa pessoa se aventura na cozinha? Por quê?

ANO 1:

ANO 2:

23 DE NOVEMBRO: Você já fingiu estar doente para poder faltar no colégio e ficar em casa? O que você disse ou fez? Deu certo?

ANO 1:

ANO 2:

24 DE NOVEMBRO: Você gostaria de ser a filha mais velha ou a mais nova da família? Por quê?

RESPOSTA DA NIKKI: Eu gostaria de ser a mais nova, assim eu poderia trocar de lugar com a Brianna e fazer com que ELA fosse minha babá! Muahahahaha!!

ANO 1:

ANO 2:

25 DE NOVEMBRO: A tímida aluna nova do colégio acabou de derrubar um livro. O que você faz?

A) Sorri e o pega para ela.

B) Se apresenta e pergunta de onde ela é.

C) Convida a garota para sentar com você e suas amigas no almoço.

ANO 1:

ANO 2:

26 DE NOVEMBRO: Se você pudesse dar a si mesma um nome e um sobrenome novos (e bem modernos), quais seriam?

ANO 1:

ANO 2:

27 DE NOVEMBRO: Quando quero me afastar das pessoas e RELAXAR, eu me escondo no depósito do zelador! Onde é o seu esconderijo secreto? Explique.

ANO 1:

ANO 2:

28 DE NOVEMBRO: Nos Estados Unidos, a época de Ação de Graças é um momento de reflexão! E você, pelo que se sente grata?

ANO 1:

ANO 2:

29 DE NOVEMBRO: Você foi convidada para participar do PRIMEIRO jantar de Ação de Graças da história dos Estados Unidos, em 1621! Que prato saboroso vai levar?

ANO 1:

ANO 2:

30 DE NOVEMBRO: Quem se sairia melhor escrevendo a coluna de conselhos da srta. Sabichona: você ou uma de suas amigas? Por favor, explique.

ANO 1:

ANO 2:

DEZEMBRO

1º DE DEZEMBRO: Se você fosse viajar para um país onde neva, preferiria fazer um boneco de neve, andar de trenó ou fazer anjos deitada na neve?

ANO 1:

ANO 2:

2 DE DEZEMBRO: Se você pudesse viver no universo de qualquer LIVRO que já leu, qual seria e por quê?

ANO 1:

ANO 2:

3 DE DEZEMBRO: Se você pudesse viver no universo de qualquer FILME a que já assistiu, qual seria e por quê?

ANO 1:

ANO 2:

4 DE DEZEMBRO: Qual foi a última coisa que você IMPLOROU que sua melhor amiga fizesse? Explique.

ANO 1:

ANO 2:

5 DE DEZEMBRO: Você e as suas melhores amigas decidem fazer aula de dança! Você escolhe balé, sapateado, jazz, dança moderna, hip-hop ou outra coisa? Explique.

ANO 1:

ANO 2:

6 DE DEZEMBRO: Se você pudesse ler o diário de alguém sem que a pessoa soubesse, de quem seria e por quê?

ANO 1:

ANO 2:

7 DE DEZEMBRO: Que NOTAS você conseguiu tirar nas provas do último bimestre? Relacione todas abaixo.

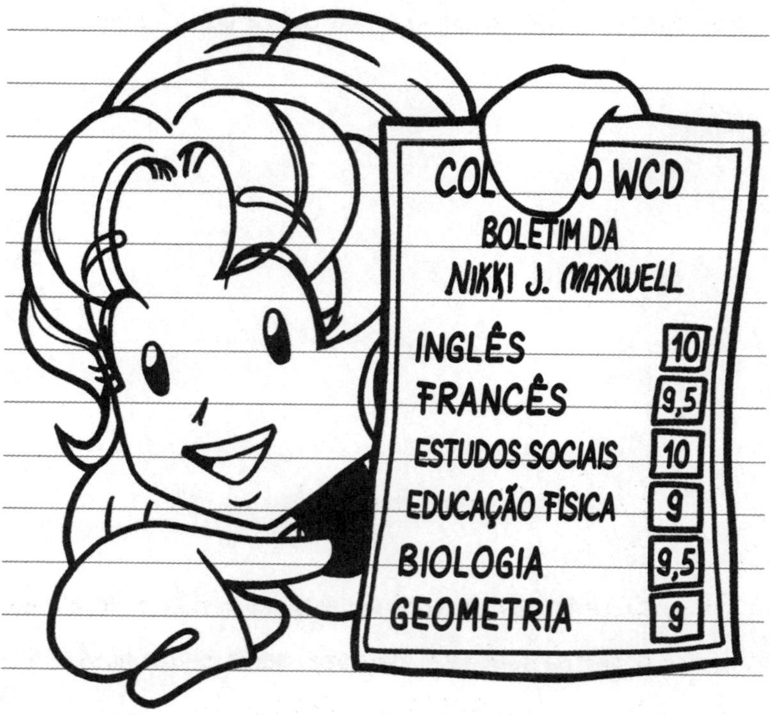

ANO 1:

ANO 2:

8 DE DEZEMBRO: Qual o SONHO mais engraçado ou mais esquisito que você teve nos últimos tempos? O que acha que ele significou?

ANO 1:

ANO 2:

9 DE DEZEMBRO: Você é mais de FALAR ou de ESCUTAR? Explique.

RESPOSTA DA NIKKI: Provavelmente sou mais de falar! Estou SEMPRE tagarelando sobre todo o DRAMA na minha vida ☺.

ANO 1:

ANO 2:

10 DE DEZEMBRO: Que cachorrinho de madame você escolheria para colocar dentro da sua bolsa luxuosa? Um yorkie, um chihuahua ou um poodle? Explique.

ANO 1:

ANO 2:

11 DE DEZEMBRO: Se você pudesse trocar de VIDA com um dos seus colegas de classe por uma semana, com quem seria e por quê?

ANO 1:

ANO 2:

12 DE DEZEMBRO: Se você pudesse trocar de PAIS com algum dos seus amigos por uma semana, com quem trocaria e por quê?

ANO 1:

ANO 2:

13 DE DEZEMBRO: Que biscoito você seria capaz de comer uma dúzia de uma vez só?

ANO 1:

ANO 2:

14 DE DEZEMBRO: Você sente cócegas? Se sim, quais são seus três pontos mais sensíveis?

ANO 1:

ANO 2:

15 DE DEZEMBRO: Você já fez algo de que se arrependeu? O que foi, e que lição aprendeu com isso?

RESPOSTA DA NIKKI: Eu joguei papel higiênico no jardim da casa da MacKenzie. Mas aprendi que até mesmo uma brincadeira inofensiva pode ter sérias consequências.

ANO 1:

ANO 2:

16 DE DEZEMBRO: Você precisa de GRANA para comprar o ingresso de um show... e DEPRESSA! Você decide passear com os cachorros dos vizinhos? Monta uma barraquinha de limonada? Ou um lava-rápido de uma pessoa só?

ANO 1:

ANO 2:

17 DE DEZEMBRO: "Sempre fico uma pilha de nervos quando ________________."

♡◎☆♡◎☆♡◎☆♡◎☆♡◎☆♡◎☆♡◎☆♡◎

RESPOSTA DA NIKKI: Quando tenho prova de geometria ☹!

☆♡◎☆♡◎☆♡◎☆♡◎☆♡◎☆♡◎☆♡◎

ANO 1:

ANO 2:

18 DE DEZEMBRO: Se você fosse invisível por um dia, aonde iria e o que faria?

ANO 1:

ANO 2:

19 DE DEZEMBRO: Há uma tradição que diz que, se um homem e uma mulher se encontrarem sob um ramo de visco, devem se beijar para trazer boa sorte. Então, quem você gostaria de encontrar sob o ramo de visco?

ANO 1:

ANO 2:

20 DE DEZEMBRO: "O prato típico do Natal que eu AMO comer é ______________!"

ANO 1:

ANO 2:

21 DE DEZEMBRO: "O prato típico do Natal que eu acho nojento e daria tudo ao meu CACHORRO é ______________!"

ANO 1:

ANO 2:

22 DE DEZEMBRO: Você foi uma boa menina este ano? Se sim, faça uma lista de Natal para dar ao Papai Noel! ÊÊÊÊÊÊ!!

ANO 1:

ANO 2:

23 DE DEZEMBRO: Cada família constrói suas próprias tradições. Como o Natal é comemorado na sua família? Detalhes, por favor.

ANO 1:

ANO 2:

24 DE DEZEMBRO: O Papai Noel precisa da sua ajuda! É noite de Natal, e as nove renas estão gripadas! Dê a ele uma lista de nove renas com nomes engraçados que podem puxar o trenó.

ANO 1:

ANO 2:

25 DE DEZEMBRO: FELIZ NATAL! A Chloe, a Zoey e eu desejamos a você um lindo Natal e um feliz Ano-Novo! Por que o dia de hoje é especial para você?

ANO 1:

ANO 2:

26 DE DEZEMBRO: Que presente totalmente inesperado você ganhou? Qual foi o seu preferido?

ANO 1:

ANO 2:

27 DE DEZEMBRO: Um ano novinho em folha está prestes a começar! Qual é a sua MELHOR lembrança do ano que passou? Explique.

ANO 1:

ANO 2:

28 DE DEZEMBRO: Você acabou de encontrar sementes mágicas! Quando plantadas, uma ÁRVORE vai crescer e fornecer um estoque infinito de qualquer coisa que você quiser. O que vai dar na SUA árvore?

ANO 1:

ANO 2:

29 DE DEZEMBRO: VOCÊ está escrevendo um diário como o MEU! ÊÊÊÊÊ!! Liste cinco coisas empolgantes sobre as quais você planeja escrever e que me deixariam MORRENDO de curiosidade!

ANO 1:

ANO 2:

30 DE DEZEMBRO: Agora pense em um título descolado para o seu diário e escreva-o abaixo!

ANO 1:

ANO 2:

31 DE DEZEMBRO: É noite de Ano-Novo! Como você pretende comemorar?

ANO 1:

ANO 2:

AI, MEU DEUS!! O ANO ACABOU!!

Mas temos muito mais o que conversar! Volte ao começo do seu diário para dar início a mais um ano incrível. Depois de preencher o livro todo, você terá dois anos de respostas maravilhosas que vai querer ler várias e várias vezes.

Você pode guardar para si o seu *Tudo sobre mim!* ou dividi-lo com as suas melhores amigas. Quem sabe?! Talvez um dia o seu diário se torne uma série de livros muito famosa! Não seria demais?! ☺!

Eu adorei as SUAS respostas a todas as MINHAS perguntas. Mas agora me diga: O que você está LOUCA para me PERGUNTAR?!

Rachel Renée Russell é uma advogada que prefere escrever livros infantojuvenis a documentos legais (principalmente porque livros são muito mais divertidos, e pijama e pantufas não são permitidos no tribunal).

Ela criou duas filhas e sobreviveu para contar a experiência. Sua lista de hobbies inclui o cultivo de flores roxas e algumas atividades completamente inúteis (como fazer um micro-ondas com palitos de sorvete, cola e glitter). Rachel vive no estado da Virgínia, nos Estados Unidos, com um cachorro da raça yorkie que a assusta diariamente ao subir no rack do computador e jogar bichos de pelúcia nela enquanto ela escreve. E, sim, a Rachel se considera muito tonta.